título
Assinaturas · um passeio poético pela calçada portuguesa
autoria/edição
Ernesto Matos
ernest.matos@gmail.com
fotografia e concepção gráfica
Ernesto Matos
textos
Belmira Besuga — pags. 23, 28, 59, 71, 97, 115, 159, 161 e 163.
Ernesto Matos — pags. 11, 13, 18, 35, 44, 61, 80, 89, 95, 106, 121, 141, 143, 145, 153, 165, 167, e 173.
Pedro Miranda Albuquerque — pags. 14, 26, 57, 85, 100, 119, 129, e 135.
tradução inglesa
Carla Martins.
impressão e acabamento
António Coelho Dias S.A.
apoios
Socalçadas
António Coelho Dias S.A.
isbn
972-95608-3-8
depósito legal
241807/06
agradecimentos
Belmira Besuga, Isabel Paiva de Andrada, Pedro Miranda Albuquerque e aos calceteiros Fernado Simões e Jorge Duarte.

Assinaturas
Signatures

um passeio poético pela calçada portuguesa

a poetic promenade through the 'Calçada Portuguesa'

Praça D. Pedro IV, 2001

De cócoras, em linha, os calceteiros,
Com lentidão, terrosos e grosseiros,
Calçam de lado a lado a longa rua.

Squating, in line, the pavers,
Slowly, earthy and vulgar,
Pave, from one side to the other the long road.

Cesário Verde, (1855-1886)

Index / Índice

Largo de S. Domingos, 1996

Introdução: São tantas as estrelas caídas aos nossos pés. São também cruzes de Cristo das velas erguidas pela nossa glória, sinais enfim que a memória assimila e guarda nos confins de cada ser.

São tantas as memórias deixadas por essas mãos rudes, duras mas calejadas de paixão, de carinho afinal por esta arte que o alimenta uma vida inteira. Dura é esta profissão de calcetar. Em posição incómoda estes homens que nos dão o chão de cada dia, suportam diariamente o rigor da dura pedra.

Tal como na ancestralidade, é o ferro que ainda talha o calcário, que molda o desenho do encaixe momentâneo. Com rapidez, um calceteiro aparelha com suas próprias mãos uma pedra nas principais faces antes de a acamar no suave areão. Fruto de uma grande experiência, a técnica do malhete é aquela onde estes artífices talham a pedra com uma perfeição absoluta; e somente com muita dedicação e trabalho se atingem resultados verdadeiramente belos.

Vem de longe também o hábito de "assinar" na rocha. Pedreiros na Época dos Descobrimentos deixavam a sua identidade como forma de demarcar a quantidade de pedra esculpida por dia ou em cada porção de espaço arquitectónico por eles talhado, já a pré-história também nos deixara um legado importante nas rochas ao ar livre, as gravuras rupestres são a prova disso.

Todavia, todas estas gerações de pedreiros e calceteiros tal como ainda hoje os recordamos de um passado mais ou menos recente, têm vindo a desaparecer. A calçada, actualmente, tal como a construção em pedra, perdeu o valor com que outrora se distinguira. O cimento e o betão armado têm vindo a alicerçar parte do mundo actual.

As assinaturas, anonimamente perdidas aos nossos pés, são o testemunho de uma dedicação a este ofício, são no entanto o simples acasalar de algumas, poucas, pedras, tal como o valor de uma constelação imaginada com algumas, também poucas, estrelas. São a herança, a nossa verdadeira herança, deixada pelo tempo da pedra, tal a mitologia deixada do passado, do tempo das estrelas. E que seria de nós sem o tempo das estrelas, do tempo da pedra?

As assinaturas são também o assumir da maturidade na vida de um calceteiro, na saída da sua aprendizagem. Um valor próprio da capacidade de erguer um testemunho, seja ele numa estrela, numa pomba numa cruz, numa data...

Sempre de modo diferente, o calceteiro ergue acima de tudo a sua imaginação, expoente máximo de fertilidade, que a cada amontoado de pedras faz o mesmo que para os nossos antepassados a fértil criatividade de saber olhar para as estrelas, sonhar e erguer novos mundos para este universo.

Olhemos então para as constelações do nosso chão, também!

Introduction. So many fallen stars at our feet. For our glory, so many crosses of Christ in the raising sails, signs that our memory absorbs and keeps into the limits of each of our being. So many remembrances left by these rude hands, rough but harden with passion, with tenderness for this art that has nourished them a lifetime. Harsh is this paving profession. In an uncomfortable position, they give us the daily floor, bearing every day the severity of the hard stone.

As in the old days it is still the iron that sculpts the calcareous, that shapes the design of a transient mortise. Rapidly, the paviour, with own hands, pares each side of the stone before lie them down in a soft sand bed. The 'malhete' technique, result of many years of practice, allows the artisans to cut out the stone with absolute perfection and only with great dedication and through hard work can they indeed achieve such beautiful results.

Signing the stone is an ancient custom. The masons of the Age of Discoveries left their identity as a way to mark out the quantity of paved stone per day or in each piece of architectonical space that they had cut out. Also Pre-History as left us an important legacy of which open-air engraving are a good example.

Nevertheless, all mason and paviour generations, as we remember them- more recently or not - are disappearing. The 'Calçada' as also as stone construction have lost, nowadays, the meaning that in times past distinguished them. Cement and concrete are presently the materials and techniques that lay the foundations.

Anonymously lost at our feet, the signatures settle themselves as a testimonial of the dedication to this craft but although also meaning the "coupling" of some, or few, stones, just like an imagined constellation with also some, or few, stars. They are a legacy, our true legacy left by Stone Age as mythology lying in the age of the stars. And what would be of us without the age of the stars, without the Stone Age?

The signatures are also a claim of maturity in a life of a paviour which is no longer an apprentice. Whether in a star, in a dove, in a cross, in a date... the signatures express their own ability to heave a proof.

Always in a different way and through each pile of stones, the paviour heaves his imagination, maximum expound of fertility, above all, just like our ancestors fruitfully and creatively ability to look at the stars and dream of building new worlds.

Well then, may we also gaze upon our pavement constellations!

Ernesto Matos

Rua 1.º de Dezembro, 1992

De tão longe chegaram essas estrelas, vindas do céu, caídas no mar.
Aqui ficaram, distraídas a navegar.

From so far away have this stars arrived, coming from the sky, fall in the sea.
Here they stayed and amused themselves with a travel by the sea.

Pela Liberdade de uma Avenida...

Throughout the Liberty of an Avenue...

...caminho de mãos dadas com a riqueza que tu me dás, alimento de esperança, saboreado de mansinho num pé ante pé.

... you give me a path hand in hand with richness, nourishment of hope, softly relished on a tiptoe.

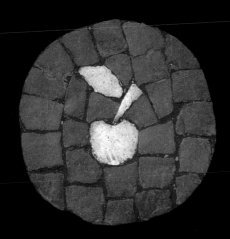

Faz tempo que os grandes mestres conceberam os princípios da pintura dentro da pintura, do retrato dentro do retrato, artificiosa minúcia de ourives pela qual desenvolveram as possibilidades da micro-arte.

Nas calçadas de Lisboa, quase assinatura, quase apelo libertário e criativo, sem regra e sem razão, os calceteiros imprimiram reduzidos universos simbólicos da infância, de fé e do prazer.

Long ago, the great masters have conceived the principles of a painting inside a painting, of a portraying inside a portrait, skilful jeweller detail by which the feasibility of micro art was developed.

In Lisbon stone-paved roadways, almost a signature, almost a libertarian and creative appeal, without rules or reasons, the paviours have imprinted diminished childhood, faith and pleasure symbolic universes.

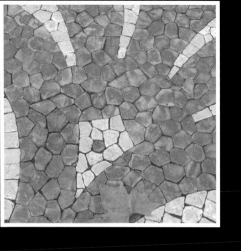

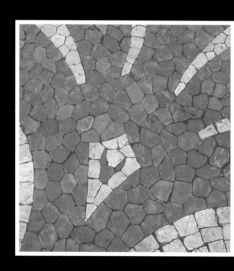

Voa, passarinho, voa. Desliza no vento, por entre os ventos que te trouxeram até aqui. Desliza meu passarinho, desliza, como folhas que saboreiam a plenitude desta aragem. Solta-te passarinho, pelas calçadas que te fizeram crescer, e vai, conquista docilmente o mundo que é o teu.

Fly little bird. Slide away in the wind, amongst the winds that brought you so far. Slide away my little bird, slide, like leafs that enjoy the completeness of this light breeze. Unleash yourself little bird, by the stone-paved roadways that have made you grow and go, sweetly conquer the world that is yours.

Nascem no chão pedra como flores da terra. Enraízam... espraiam-se num tapete desenhado a pedra fria... Aguardam, para ganhar vida, o calor da nossa
passagem. Nesse propósito se constroem num emaranhado de ramos e caules,
folhas e sementes... O aparato viril que nos cativa.

Born in a stone floor like ground flowers. Root... ebbed in a carpet designed in
cold stone... Waiting, to acquire life, and waiting for the warmth of our crossing. For that purpose they built they in a tangled of branches and stems, leafs
and seeds... A virile grandeur captures us.

24

O Sol e a Lua, como o dia e a noite, a vida e a morte, o amor e o ódio, sorriem-nos de dentro dos desenhos marcados a escantilhão. Permanência do animismo primitivo, verbo de quem esteve aqui.

The sun and the moon, like the day and the night, life and death, love and hate, smile to us within the scantling sketches. They are permanence of primitive animism, the logos of who have been here.

Às voltas a mente dos calceteiros que, de cócoras, pedra a pedra, aqui extravasam
a liberdade de que o próprio Baco os fez herdeiros.
Do fruto, bago a bago, o mais puro néctar. Sangue de Cristo em que se deleitam os
sentidos, se desentorpece a imaginação, se elevam os espíritos do poder da alma,
na imaginação dos homens...

The paviours minds spin around while in a squatting posture, stone by stone,
they here extravasate Bacchus freedom legacy.
From the fruit, grape to grape, the purest nectar. The blood of Christ in which our
senses delight themselves, freeing the imagination of numbeness, elevating the
spirits of fortitude, in men's fantasy...

30

Circundam cadentes astros de jasmins, plátanos, ciprestes, orquídeas e
botequins, pedras soltas em poéticas rimas d'encantar.

Falling jasmines stars, platans, cypresses, orchids and pubs, loose stones
in fascinating poetics rhymes enclose it.

37

38

39

Balanceiam dois corvos ao vento, à proa e ré duma barcaça ainda a cheirar ao Pinhal de Leiria. Um mastaréu erguido aos céus envolvido em pano-cru, 44 pedras de puro calcário no lastro e a alma de S. Vicente a navegar. É assim esta Lisboa, a cidade que nasceu da bruma do mar.

Two crows which balance in the wind fore and stern of a lighter, still smelling like Leiria Pine Forest. A mast rose to the skies and wrapped with raw cloth; in the ballast, 44 stones of pure calcareous and the soul of Saint Vicent navigating. This is Lisbon, the city that was born in the haze of the sea.

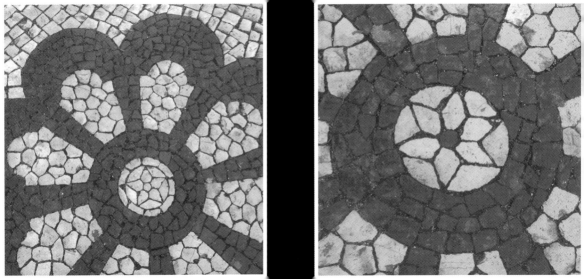

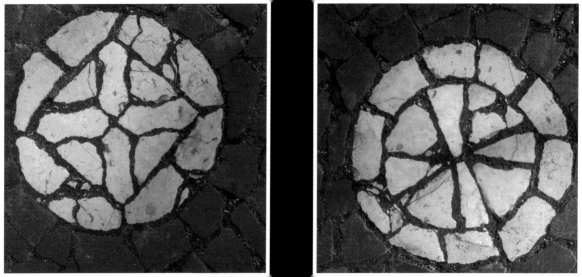

50

54

Heráldica de um país republicano e laico feita de estandartes municipais e da eterna Cruz de Cristo.

Heraldry of a laic and republican country made of local bannerol and of the eternal Cross of Christ.

58

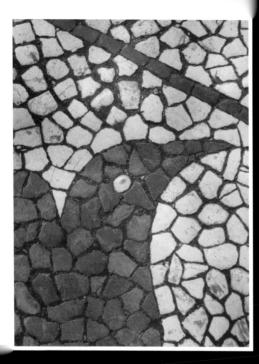
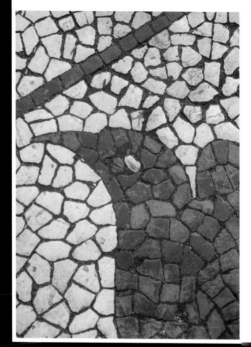

Do mar largo, aqui foram chegados num bater de asas e ficaram história
cidade a que passaram a pertencer...
Aqui se fizeram donos do ar que respiramos e sobrevoam, trazendo-nos os
das caravelas, que, na volta da labuta dos achamentos, por aqui se queda
e os deixaram...

From the open sea, here they have arrived in a flap and remained History; in a
city they started to pertain...
Here they have made themselves landlords of the air we breathe and overfly,
bringing us the scents of caravels returning from discoveries that, by this way,

Sedosa é a cor desta pedra, que transpira o aroma do efervescente empedrado, banhado com raízes de hortelã, alfazemas, agapantos... que os colibris acariciam neste mágico jardim de Lisboa.

Silky is the colour of this stone, that exhales the fragance of effervescent stone-pavement, bathed with mint roots, lavender, agapanthus... and caressed by humming-birds in this Lisbon magic garden.

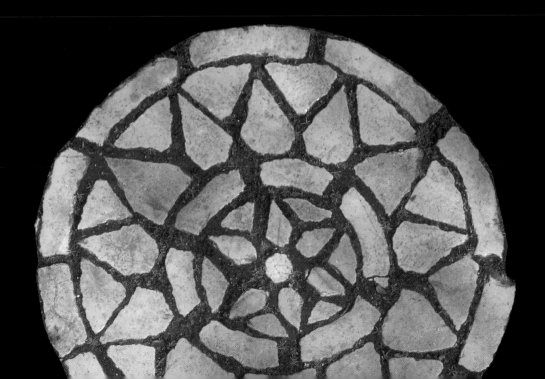

62

66

67

69

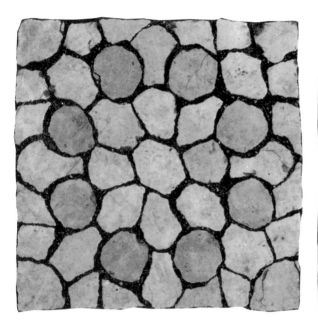

Pintalgado o chão de preto e branco, semeado de calçada portuguesa, pedra a pedra, ponto por ponto rendilhados sinais de ancestralidade. Flores e estrelas de todas as pontas, cruzes de Cristo da guerra e da paz, que nestes tempos de desencanto mais enfeitam o que ao olhar nos é dado do que apelam à fé dos homens.

The black and white spoted floor, with 'calçada portuguesa' sowed, stone by stone, point to point, adorned laced signs of ancestry. Flowers and all kinds of pointed stars, crosses of Christ of peace and war that, in this disenchanted days, beautify the glances more than apeal to men's faith.

72

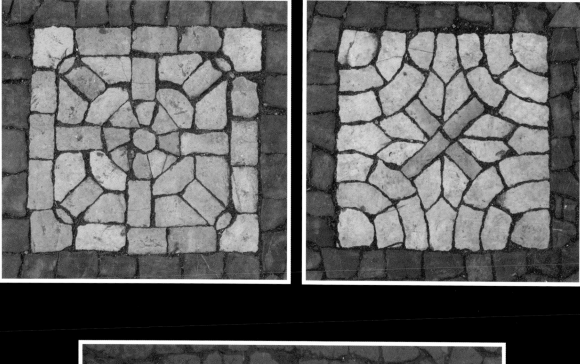

74

76

Borboletas...
Butterflies...

...que planam e flores que germinam por Alvalade.

...that plane and flowers sprout in Alvalade.

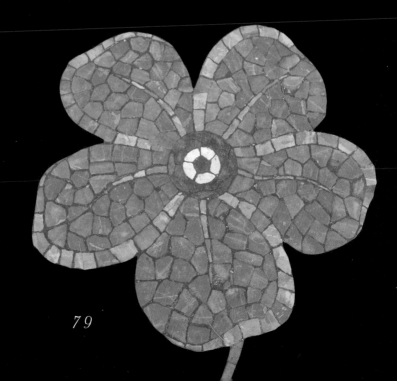

Rua Lopes Mendonça

Cor, luz mágica, existente só dentro de mim, nesses sonhos de azul celeste, cobalto, marinho... nos vermelhos incandescentes com que se incendeia a noite, nos rosas floridos que trazem perfumes sedutores, nos castanhos de terra onde nasci, onde a imaginação te faz colorir de violetas...

Colour, magic light that exists only inside of me, in those dreams in different patterns of blue- sky, cobalt, navy... in incandescent red inflaming the night, in flowery pinks that bring seducive perfums, in the brown from the land where I was born, where imagination colours you with violets...

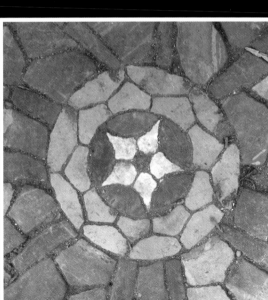

84

Geometria da Cabala: flores e estrelas de seis pontas; uma pátria israelita assinalada em desenhos anónimos.

Cabbala's geometry: flowers and stars of six tips; Israelite motherland distinguished in anonymous sketches.

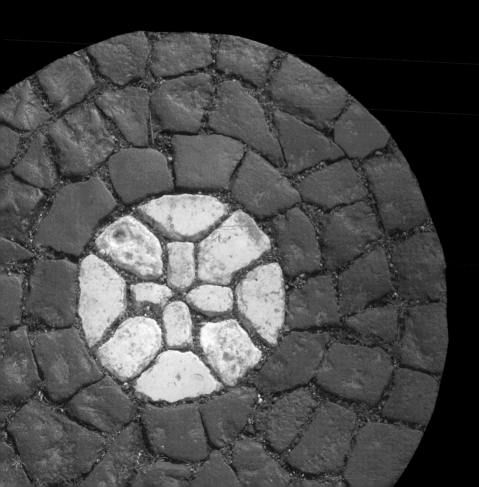

Largo Frei Heitor Pinto

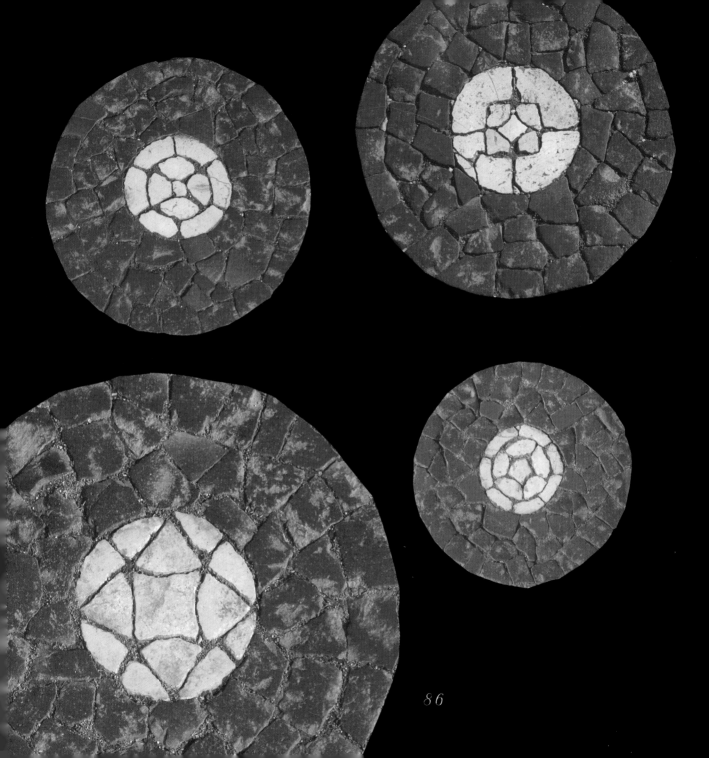

86

Belém das estrelas cadentes

Belém of falling stars

No céu e na terra nasceram os astros envolvidos nessa viagem, na grande viagem universal, que a florescente noite iluminou.

In heaven and in earth have born the stars involved in that voyage; in the great universal voyage that a florescent night as illuminated.

90

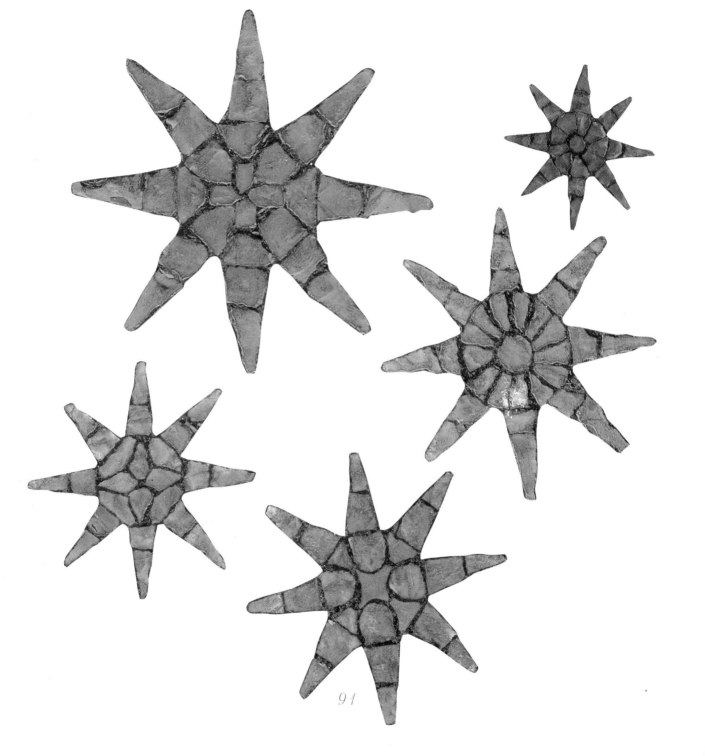

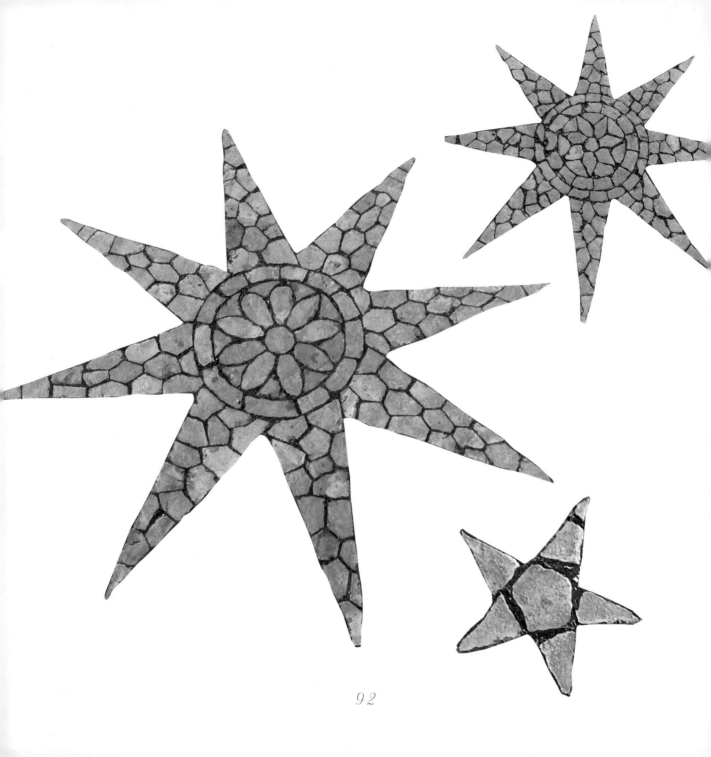

92

93

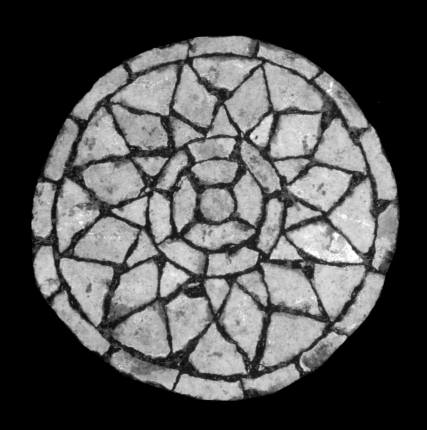

94

Amiga, passageira da imensidão do pó, da pedra, dos átomos deslizantes que por ti, e por mim, serpenteiam em inebriantes sensações de felicidade, dessa sorte, por ter encontrado.

My friend, fugitive of the immensity of dust, of stone, of slippery atoms that meander by me, by you, in inebriating feelings, in happiness, by the change of meting you.

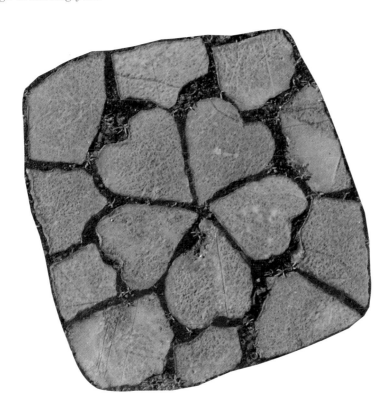

96

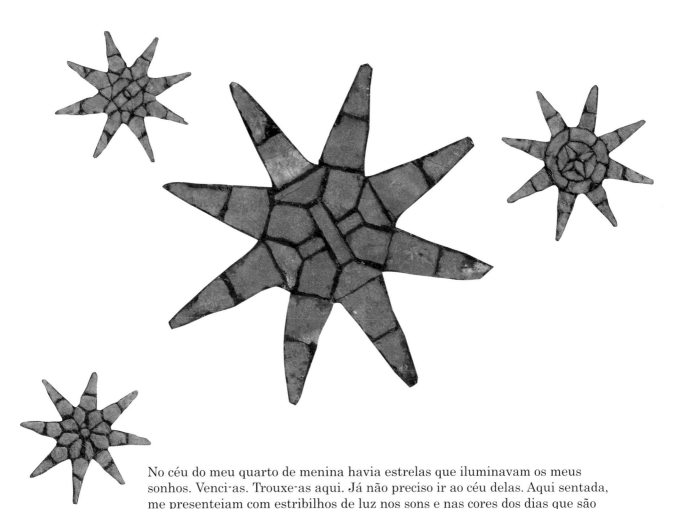

No céu do meu quarto de menina havia estrelas que iluminavam os meus sonhos. Venci-as. Trouxe-as aqui. Já não preciso ir ao céu delas. Aqui sentada, me presenteiam com estribilhos de luz nos sons e nas cores dos dias que são os meus, nossos, que por aqui as partilhamos em tapetes de luz própria.

There were stars illuminating my dreams, in the sky of my young lady's room. I have defeated them. I have carried them to here. I don't longer need to reach their sky. In here seated, they offer me strains of light in the sounds and colours of the days that are mine, ours, which we share in carpets with peculiar brightness.

99

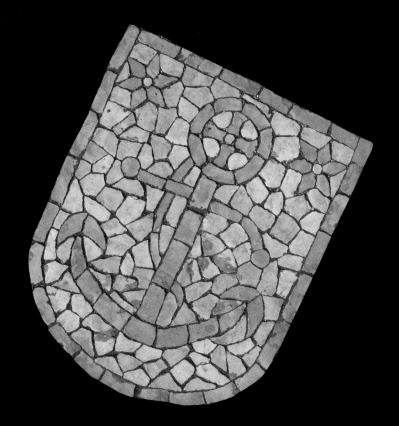

O império dos mares assentava na capacidade de navegar à bolina fazendo
rumo e estima, rumo e estima. Âncoras, rosa-dos-ventos, rodas de leme, temas
do imaginário português.

The empire of the seas settled down in the capacity to sail in bowline, making route
and reckoning, route and reckoning. Anchors, points of the compass, steering-wheels:
themes that belong to the Portuguese imaginary.

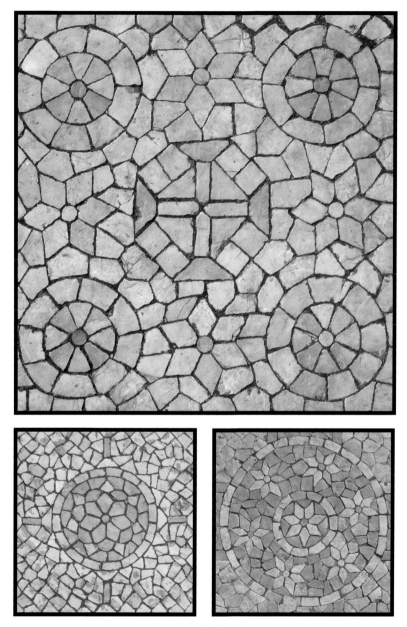

103

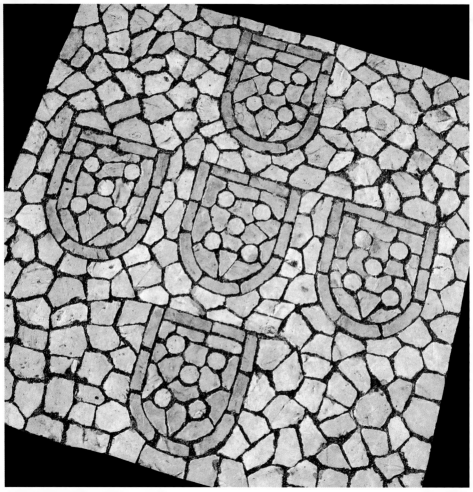

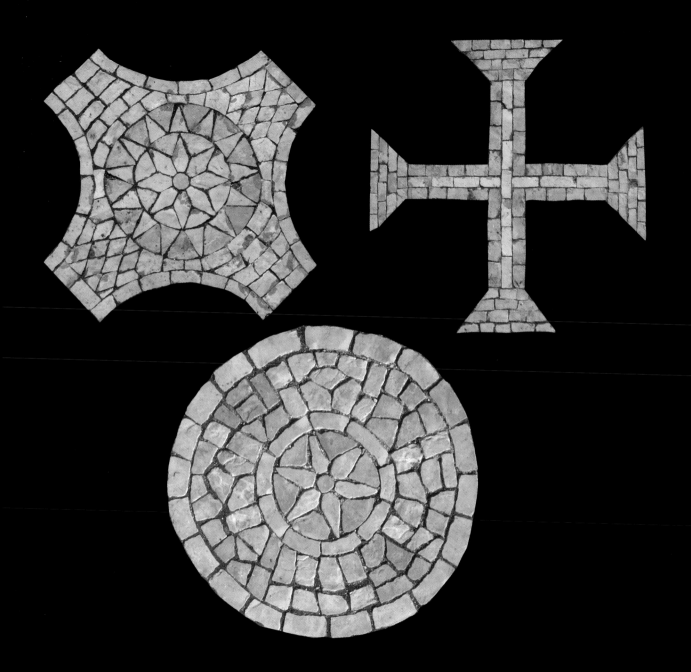

105

Conquistadores dos dias da claridade nua, é esta Lisboa assim o berço das viagens taciturnas onde as ameias de cada ruela guardam o destino desta imensidão de segredos.

Conquerors of the days in nude brightness, thus is Lisbon the motherland of taciturn voyages, where battlements of each alley keep the fate of this vastness of secrets.

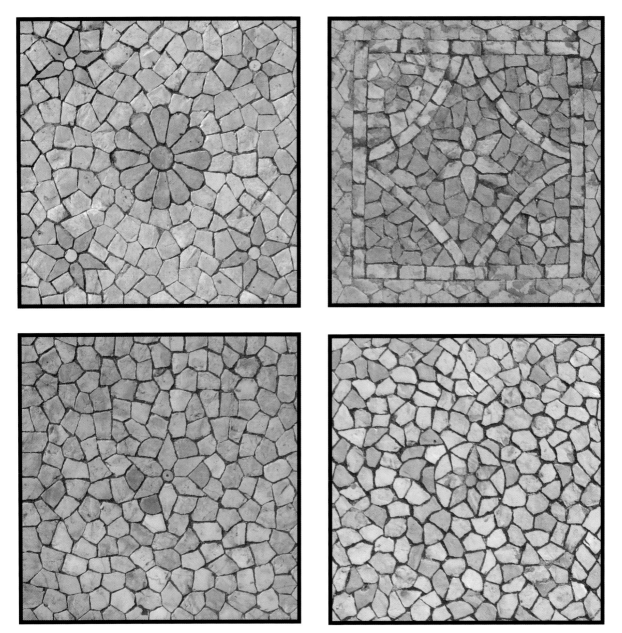

109

112

113

Rua Sanches Coelho

Entre os Campos

Between the Fields

Malmequer do campo, em estado de pura ternura. No vaso, retratado o instinto na similaridade da expressão dos sentidos aqui presos. Sim, que entre os campos se deixam crescer livres em voluptuosos movimentos, ao sentir do sol e do vento, na maresia e no calor que aqui concentram...

Country marigold in a pure state of tenderness. In the flower-pot, portraying the instinct in a resembling expression of retained senses. Yes, they let themselves grow free between the fields and in voluptuous motions, by feeling the sun and the wind, in the smell of the sea at low-water and in the eat they here condense.

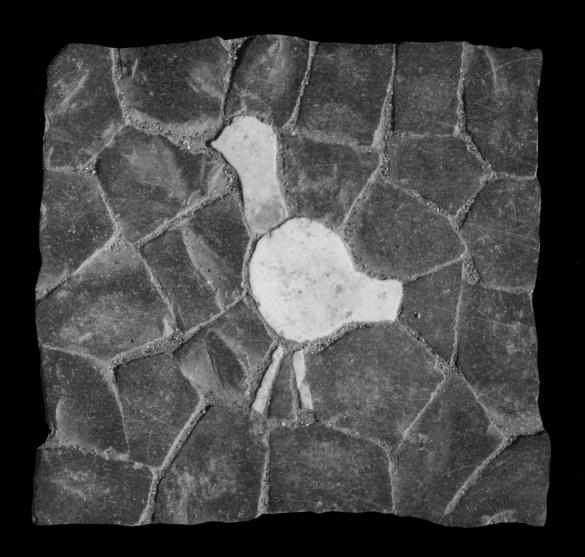

118

Simetrias urbanas resolvidas no modo de habitar e de pisar. Necrópoles nas acrópoles, moradias, ermidas, jazigos desenhados no chão dos grandes largos de passagem.

Urban symmetries cleared up in the way of living and stepping. Necropolis within the acropolis, residences, and vaults designed in the floor of the crossing plazas.

Praça do Comércio

Aqui onde cruzamos com os fragmentos de pedra lascada, envolvidos em
oceanos pelas velas erguidas de uma nau, por esse olhar, irradiado na vida
perseguida, tal ave que toca o céu, eterno bailado por entre os misteriosos
corpos celestes, docilmente a navegar.

Here where we cross fragments of splinted stone, wrapped in oceans and
by the sails that elevate in a ship, by that look, shining upon a pursued
life, like a bird that touches heaven, eternal ballet amongst mysterious
heavenly bodies, softly sailing.

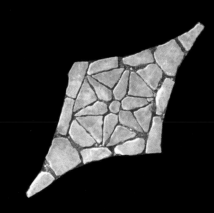

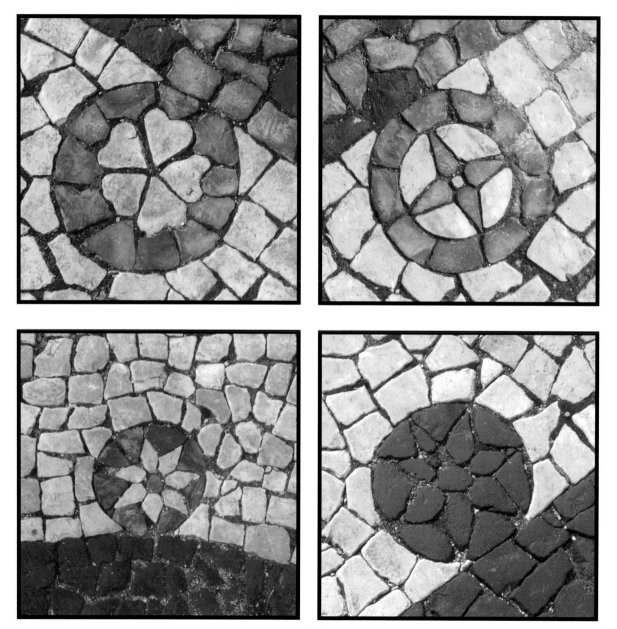

124

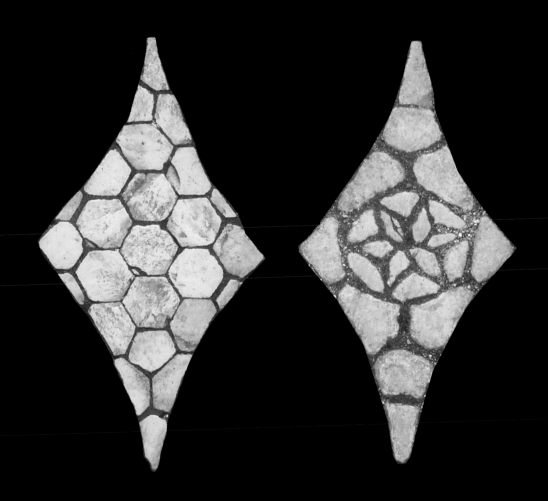

125

Rua do Comércio

127

Que Graça dos encantos, poetisa de Lisboa

What a charming "Grace", Lisbon poetess

Apetecia-me roubar ao poeta o sorriso mole das dálias desfolhadas nas calçadas.

I have been longing to steel the poet the soft smile of dahlia's shed leaves in the stone-pavements.

Jardim da Graça

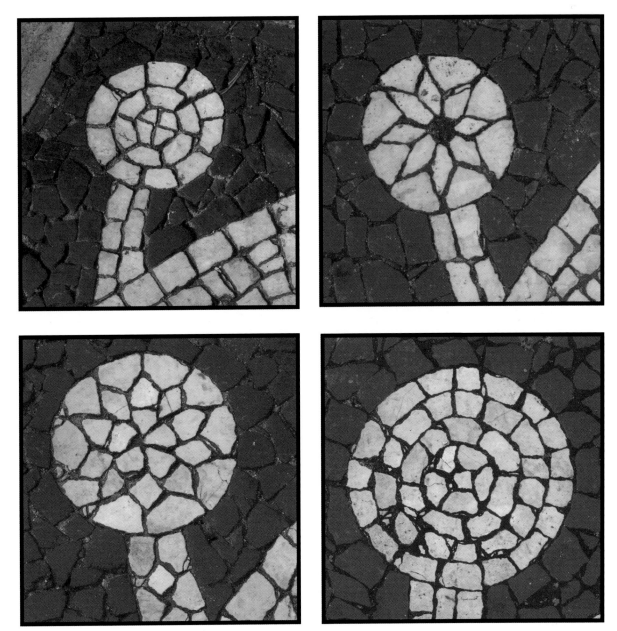

132

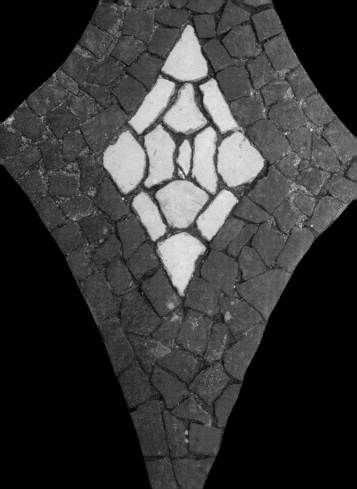

Augusta, império de louros

August, empire of laurels

Com aparos de canetas milagrosas escreveremos textos de caligrafias líticas.

With miraculous nibs we will write lytic calligraphy texts.

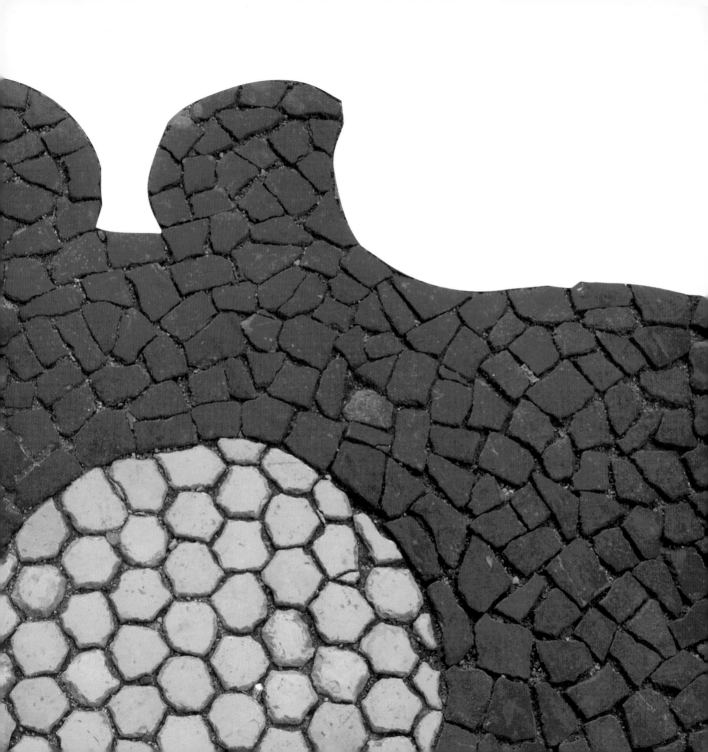

137

138

139

Onde a cidade se reencontra, num cruzamento diário de existências fragmentadas, de sonoridade que os sinos embalam, é aqui onde Lisboa acaricia a terra com o céu

Where the city again finds itself, in a daily crossing of fragmented lives, rocked by the resonance of the bells, it is here that Lisbon caresses earth with heaven.

Duque de Terceira

Praça Atlântica, conquistadora travessia.

Atlantic Square, conqueror of the sea crossing.

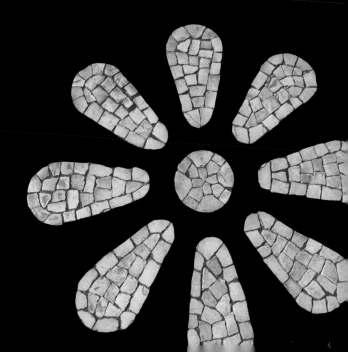

144

Colinas etéreas que me elevam de passeio em passeio, de mar
em mar num tapete de ondas, refrescantemente floridas.

Ethereal hills rise me upon pavement to pavement, from sea to sea
in a carpet of refreshing and flowery waves.

147

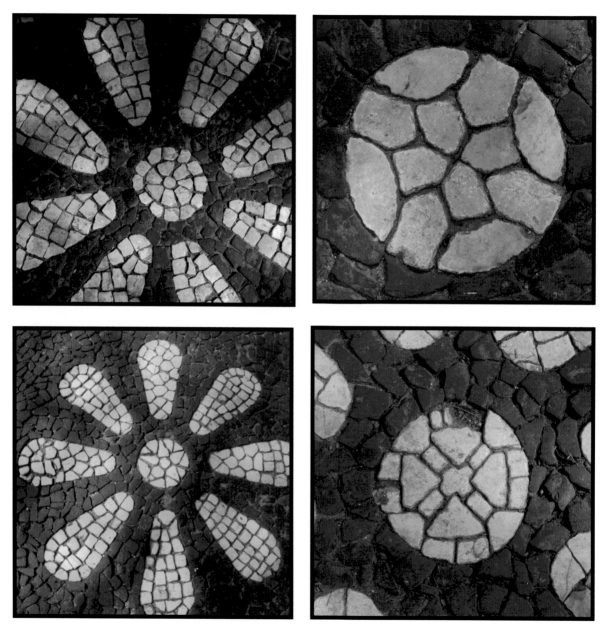

148

149

153

154

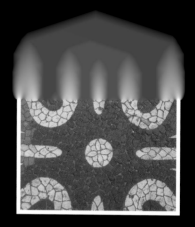

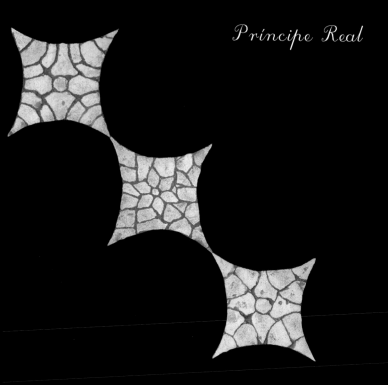

Príncipe Real

Em cada pedra uma palavra desassossegada. Cada palavra a mensagem construção
do pensamento perdido nos desenhos em que esquecemos os sentidos... sob a protecção
do velho cedro.
Principescamente floreado o atapetado pedra que pisamos ao passar...

In each stone a restlessness word. In each word, the message of the edification of a
though that is lost in the sketches in which we forget the senses... underneath the
protection of the ancient cedar.
The stone carpet cover that we step on by passing through, flowery in a princely
manner...

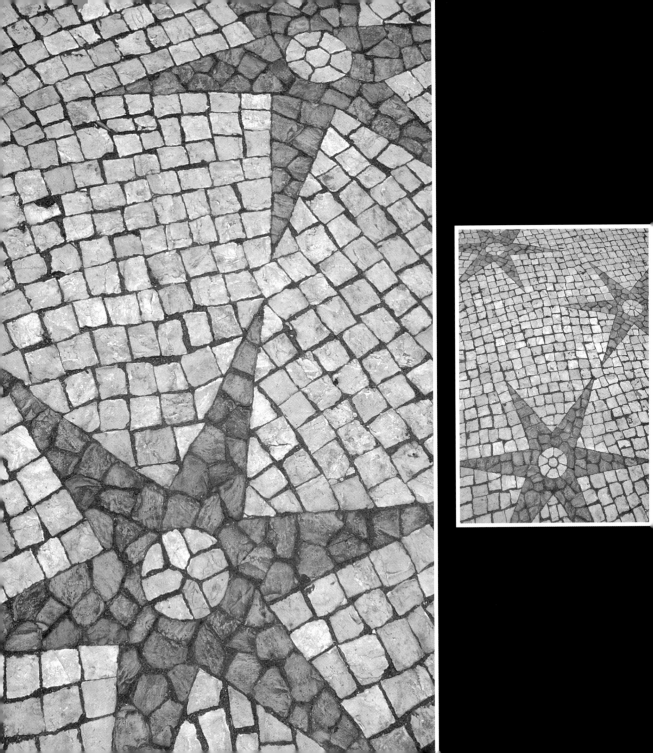

Alto de Sto Amaro

Perdeu-se uma estrela. Para aqui se transpôs do espaço celeste em
sincronia luminária. Aqui se desfez pó e se deixou reconstruir por
mãos mestras que a deixaram acomodar-se neste céu-chão de que
passou a fazer parte.
Neste "firmamento" não se desconstrói...

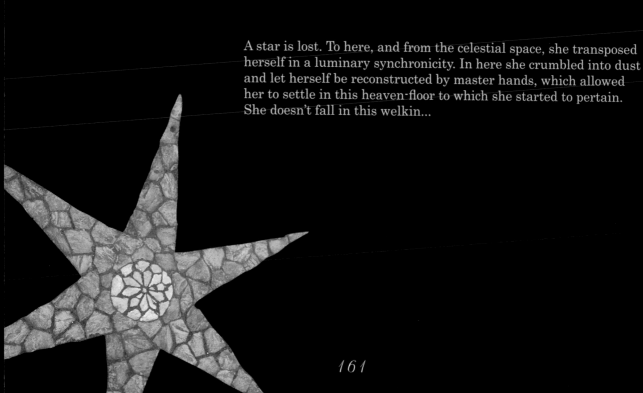

A star is lost. To here, and from the celestial space, she transposed
herself in a luminary synchronicity. In here she crumbled into dust
and let herself be reconstructed by master hands, which allowed
her to settle in this heaven-floor to which she started to pertain.
She doesn't fall in this welkin...

162

Faro

Fez‑se pedra, rasgou a terra e semeou‑se aqui por vontade própria…
Flor de dentro, se cristaliza, assim, aos nossos sentidos.
Desta forma, em todas as formas de elegante movimento, se espreguiça
assim, ao sol, no chão do sul…

It crumbled into dust, it riped up the land and here it sowed by own
will…An inner flower that thus crystallizes itself to our senses.
In this manner, in all gracefull shapes of motion, it thus stretches and
yawns to the sun, in the floor of the south…

Atlântida ergueu, que a terra nutriu, que o mar abençoou.

that Atlantis raised up, that the land has flourished, that t

Macau...

...do chá de crisântemo que tenho ainda no paladar. Dos empedrados que apanho nesta distância infinita, traduzida num refrescar desejo de voltar.

...from the chrysanthemum tea that I can still sense the taste. From the stone-pavements that I can catch in an infinite distance, translated in a refreshing wish of returning.

Numa rua de Aveiro

Rua do Mirante, Lisboa

Numa rua de Olivença, Espanha

Campo Pequeno, Lisboa

Pétalas soltas por aí...
Petals on the loose...

...que se perdem num olhar, numa distância entre dois passos, entre dois momentos, entre mim, entre ti e esta terra tão germinada de culturas.

...vanish in a glance, in the distance between two steps, between two moments, between me; you and this land- sprouted out by many civilizations.

Av. Miguel Bombarda, Lisboa

Av. da República, Lisboa

Av. dos Aliados, Porto

Rua Barata Salgueiro, Lisboa, 1991

Estádio José de Alvalade, Lisboa, 2001

Rua da Palma, Lisboa

Av. Fontes Pereira de Melo, Lisboa

Largo do Camões, Lisboa

Rua do Sol ao Rato, Lisboa

Museu da Calçada, Fanhões

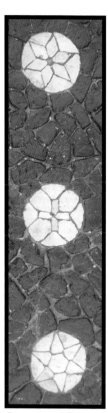

Campo dos Mártires
da Pátria, Lisboa

Rua do Ouro, Lisboa

177

Lg. de S. Mamede, Lisboa, 2001 e 2006

Concurso de Calçada Portuguesa. Santarém, 200

Eiriceira